MIS PRIMEROS LIBROS

FUE CARMELITA

por Becky Bring McDaniel

ilustraciones por Lois Axeman

Traductora: Lada Kratky

Preparado bajo la dirección de Robert Hillerich, Ph.D.

CP CHILDRENS PRESS ™

CHICAGO

Dedicado con mucho cariño
a mi esposo, Larry,
y a nuestros hijos.

Library of Congress Cataloging-in-Publication Data

McDaniel, Becky Bring.
  Fue Carmelita

  (Mis primeros libros)
  Incluye índice.
  Resumen: Carmelita, la más joven de tres hermanos y a
quien le echan la culpa de todo, hace algo bueno para
variar.
  [1. Hermanos—Ficción. 2. Comportamiento—Ficción]
I. Axeman, Lois, il. II. Título. III. Series.
PZ7.M478417Kat 1983 [S]   83-7260
ISBN 0-516-32043-2

Childrens Press®, Chicago
Copyright © 1988, 1983 by Regensteiner Publishing Enterprises, Inc.
All rights reserved. Published simultaneously in Canada.
Printed in the United States of America.
  3 4 5 6 7 8 9 10 R 92

Carmelita era chiquita.

Su hermano Samuel era más grande.

Y su hermana Julia
era más grande aún.

Cuando se derramaba la leche,

Samuel y Julia decían: —¡Fue Carmelita!

Cuando se dejaba la pelota afuera,

Samuel y Julia decían: —¡Fue Carmelita!

Cuando se dejaba la luz prendida,

Samuel y Julia decían: —¡Fue Carmelita!

Cuando se dejaba la puerta abierta,

Samuel y Julia decían: —¡Fue Carmelita!

Carmelita se pasaba oyendo:
—¡Fue Carmelita! —¡Fue Carmelita!

Un día, mami llamó a Julia,
a Samuel y a Carmelita.

Preguntó: —¿Quién me dio
las bonitas flores?

Y ¿sabes lo que hizo Carmelita?

Carmelita dijo: —¡Fue Carmelita!

LISTA DE PALABRAS

a	dijo	leche	puerta
abierta	dio	lo	que
afuera	era	luz	quién
aún	flores	llamó	sabes
bonitas	fue	mami	Samuel
Carmelita	grande	más	se
cuando	hermana	me	su
chiquita	hermano	oyendo	un
decían	hizo	pasaba	y
dejaba	Julia	pelota	
derramaba	la	preguntó	
día	las	prendida	

Sobre la autora

Becky Bring McDaniel nació en Ashland, Ohio, pero pasó casi la mitad de la vida en Gainesville, Florida, donde está siguiendo un curso de estudios en composición literaria en la universidad de la Florida. Varios de sus poemas han sido publicados en revistas tales como *Creative Years, The National Girl Scout Magazine,* y *Writer's Opportunities.* Es casada y tiene hijos que tienen de cinco a nueve años de edad. Está desarrollando varios otros manuscritos y piensa dedicarse a escribir para niños.

Sobre la artista

Lois Axeman nació y se crió en Chicago, Illinois. Estudió artes gráficas en Chicago en la American Academy, el Illinois Institute of Technology, y en el Art Institute. Enseñó ilustración en el Circle Campus de la universidad de Illinois por cuatro años. Lois es madre de dos hijos adultos y abuela de uno. Vive con su esposo, Harvey Retzloff en el piso cincuenta y cuarto de un edificio junto al lago, y allí los dos se dedican a sus carreras en artes gráficas. Comparten su hogar con su perro shih tzu, Marty, y su gata, Charlie. Lois usa sus hijos, su nieto y sus animales como modelos para los personajes de sus libros ilustrados. En su tiempo libre, Lois y Harvey pintan, juegan al tenis y cultivan orquídeas.